ALFAGUARA
INFANTIL Y JUVENIL

© 2009, Yolanda Arroyo Pizarro

Ilustraciones de Mariana Ruiz Johnson

© De esta edición:
2009 – Ediciones Santillana, Inc.
avda. Roosevelt 1506,
Guaynabo, Puerto Rico, 00968

Impreso en México
Impreso por Editorial Impresora Apolo
ISBN: 978-1-60484-606-5

Dirección de la colección: Neeltje van Marissing
Edición: D. Lucía Fayad Sanz
Corrección: Patria B. Rivera Reyes
Asesoría pedagógica: Lilly R. Cruz
Supervisión lingüística: Dra. Rosario Núñez de Ortega

Una editorial del Grupo Santillana que edita en:
• Argentina • Bolivia • Brasil • Chile • Colombia
• Costa Rica • Ecuador • El Salvador • España
• Estados Unidos • Guatemala • Honduras • México
• Panamá • Paraguay • Perú • Portugal • Puerto Rico
• República Dominicana • Uruguay • Venezuela

La linda señora tortuga

Yolanda Arroyo Pizarro

Ilustraciones de Mariana Ruiz Johnson

*Dedicado a mi madre, Petronila,
a mis hermanas, Glorye y Wandeline,
y a mi hija, Aurora*

En una playa de la costa este de Puerto Rico, vivía una niña llamada Noraida. Ella se despertaba todas las mañanas escuchando el ruido que hacían las olas cuando llegaban a la orilla. Su casa quedaba en una colina frente al mar. Desde la ventana de su habitación, podía ver las dunas de arena, los azules del agua y la espuma blanca de las olas. La niña divisaba el hermoso paisaje y respiraba la paz que le traía.

Un sábado por la mañana, Noraida se levantó muy contenta. Al darse cuenta de que su buen estado de ánimo se debía al murmullo del mar, que jugaba al otro lado de su ventana, le escribió unos versos.

Mar hermoso,
gran océano azul,
eres muy bondadoso;
me gustas mucho tú.

Quiero nadar contigo,
ser, en tus olas, sirena.
Cosquillas en el ombligo,
sentiré al jugar con tu arena.

Pero Noraida no solo tenía vena de poeta, también, era deportista. Nadaba muy bien y buceaba con sus primas menores, Glory y Vanesa. Por eso, las invitó a que se quedaran todo un fin de semana en su casa. Así, tendrían dos días para explorar las maravillas del mundo submarino.

Mientras la niña se ponía el traje de baño, sintió que golpeaban fuertemente la puerta de su habitación. Eran sus primitas, que estaban locas por ir a divertirse. Noraida terminó de vestirse y abrió, mientras se ponía el dedo índice sobre la boca, en señal de que no hicieran tanto alboroto. Sus padres podrían levantarse. Y así fue que, calladas y en puntitas, bajaron a esperar a que las buscara la vecina, Sofía.

Desde hacía unos años, Sofía vivía en San Juan, porque había decidido estudiar en la universidad de esa ciudad. Noraida la quería mucho. Es que ella había sido su vecina desde que tenía uso de razón. Fue quien le enseñó a bucear y quien le regaló sus primeros libros de poesía. Por suerte, pudo seguir viéndola todos los fines de semana y compartiendo con ella los gustos que tenían en común.

Tan pronto llegaron a la playa, se colocaron sus caretas con tubos respiradores y unas aletas muy graciosas, que las hacían parecer anfibios.

—Pareces una rana —le dijo Noraida a Vanesa.

—Una rana muy grande —añadió Glory. Las niñas se rieron.

Noraida y Sofía, como siempre, prefirieron bucear cerca de los corales. Es que les encantaban los colores que se creaban cuando la luz del sol se reflejaba en ellos. También, les gustaba presenciar cómo algunos animales se movían constantemente alrededor del arrecife, con la esperanza de conseguir alimento. Observaban cómo las posibles presas, hábilmente, se escondían entre las cuevas y las grietas que les ofrecía su gran hospedaje marino.

A Vanesa le gustaban las estrellas de mar. Pasó horas buscándolas de diferentes colores. En cambio, Glory decidió salir rápido del agua, quitarse las aletas y ponerse a buscar animalitos entre las rocas. Encontró erizos, caracoles, cobitos y cangrejos de diferentes tamaños.

Después de un rato, todas se reunieron en tierra firme. Sofía sacó unos sándwiches de su mochila.

Tras reposar un rato, regresaron juntas a visitar los corales. Pasaron toda la tarde descubriendo bancos de variados peces, plantas marinas y algas que se movían suavemente. También, hallaron esponjas de diferentes formas y colores. El arrecife parecía una gran manzana de apartamentos submarinos.

Cuando terminaron de curiosear, nadaron hasta la orilla. La noche estaba acercándose, pero, antes de regresar a la casa, se pusieron a hacer un castillo de arena. Mientras lo construían, Glory se preguntaba si su obra les serviría de hogar a algunos cangrejos. Vanesa, que era la más curiosa de las tres primas y la más pequeña, pensaba en cómo se formarían los corales. Le dio tantas vueltas al asunto sin hallar respuesta que decidió preguntarle a Sofía.

Antes de que ella pudiera contestarle, una voz de adulto, muy seriamente, interrumpió:

—Niñas, ¡ya me tenían preocupado! Es cierto que están solo a unos pasos de la casa y que Sofía es una buena niñera, pero ¿han visto qué hora es? —Al darse cuenta de que estaban llenas de arena, continuó—: bueno, por lo menos, veo que están disfrutando. Y cuéntenme: ¿qué hicieron durante todo el día?

El que hablaba era Javier, el padre de Noraida.

—Hemos estado buceando. Tío, ¡ahí abajo hay un mundo fascinante! —contestó Vanesa.

—Sí, estoy de acuerdo contigo, aunque hace mucho que no buceo... —Javier se quedó pensativo. Después de unos segundos, volvió a hablar—: ¿Sabían que existen animales marinos que, durante algunas épocas del año, salen a la tierra y nos dejan apreciar su belleza?

—¡Ajá! ¿Cómo cuáles? —interrogó Vanesa, algo incrédula.

—Como las tortugas. Entre abril y julio, los tinglares vienen a desovar a esta playa.

—Eso no puede ser —dijo Glory, convencida—. Hemos estado acá durante todo el día y no hemos visto ninguna tortuga.

—Es que los tinglares salen en la madrugada —interrumpió Sofía—. El año pasado, estuve acá con un grupo ambientalista cuidando los huevos de una de ellas.

—¡Tengo que ver eso! —dijo Noraida, entusiasmada.

Las otras la secundaron.

—Vamos a hacer algo: recojan sus cosas, vamos a la casa a comer lo que les cociné y regresamos después de las doce de la noche.

—¡Sí! —gritaron todas, mientras brincaban como canguros.

—Sofía, ¿vienes con nosotros?

—Gracias, Javier, pero paso. Tengo planes para esta noche. De todas maneras, espero que disfruten.

Cuando llegaron a la casa, Gabriela, la mamá de Noraida, estaba poniendo la mesa. Las niñas le dieron un beso y fueron a bañarse rápidamente. Mientras tanto, Javier le comentó a su esposa el plan que tenían para más tarde.

Una vez estuvieron todos a la mesa, Gabriela comentó:

—Me preocupa que se queden despiertas hasta tan tarde, pero creo que se justifica porque vivirán una experiencia única.

No eran ni las once de la noche y las niñas no paraban de preguntar: "¿ya es hora de irnos?, ¿ya es hora de irnos?"

Javier y Gabriela, para no volverse locos, decidieron salir antes de lo acordado.

En la playa, se acostaron todos sobre una sábana vieja a mirar el cielo. Competían a ver quién contaba más estrellas en esa noche oscura.

De repente, perdieron la cuenta:

—¡Miren la tortuga! ¡Es enorme! —gritó Glory.

Las tres primas, entusiasmadas, quisieron correr en dirección al animal, pero Javier y Gabriela las detuvieron:

—Chicas, no pueden acercarse de esa manera, van a asustarla. Vayan, pero lentamente y con cuidado.

De todas maneras, a mitad de camino, las niñas se detuvieron porque sintieron un poco de miedo. Vanesa fue la que siguió adelante. Quería ver de cerca esa tortugota.

—¡Ay!, mejor vámonos. Parece que quiere atacarnos —exclamó Glory.

La tortuga abría y cerraba la boca de un modo que parecía amenazante.

—Niñas, tranquilícense que ese animal no quiere agredirnos. Lo que sucede es que está hambriento. Aunque, como ya les expliqué, antes de satisfacer esta necesidad, tiene algo importante que hacer —dijo Javier.

Entonces, Glory se animó a acercarse un poco más. En cambio, Noraida salió corriendo hacia una bolsa plástica. Y, aunque tuvo que enfrentarse al viento travieso, pudo agarrarla y echarla en un zafacón.

—¿Por qué hiciste eso? —preguntó Vanesa.

—Es que no quiero que la tortuga se meta ese desperdicio a la boca. Podría confundirla con comida y ahogarse sin querer —dijo Noraida—. Los tinglares comen medusas, y las medusas se parecen a las bolsas plásticas.

—Pobrecita, dijo Vanesa, mientras acariciaba a la que consideraba su nueva amiga.

Las otras dos hicieron lo mismo.

Después de que transcurrieron unos minutos, Gabriela les pidió que le dieran espacio a la tortuga para desovar. Ellos podrían observarla, siempre y cuando se mantuvieran a una distancia prudente. Así fue que los cinco hicieron un círculo alrededor del tinglar y vieron cómo, moviendo sus aletas, hizo un hoyo para poner sus huevos.

Luego, caminando muy despacio, regresó al mar, tal vez, a comerse un banquete de medusas. Mientras entraba, poco a poco, en las aguas espumosas, todos le dijeron: "adiós" con las manos.

—Bueno, ya es hora de regresar. Vámonos a dormir.

Las niñas no habían sentido sueño por la emoción de estar tan cerca de una tortuga, ¡y tan grandota!, pero, de regreso a la casa, empezaron a bostezar.

Lo malo fue que se quedaron preocupadas. Pensaban que los tinglares podían comer basura, al confundirla con su comida, y que ellas no estarían para evitarlo.

—Tenemos que ayudar a los tinglares de alguna manera —afirmó Noraida—. Les propongo que hagamos unos carteles de colores brillantes, para invitar a las personas a que no arrojen ningún tipo de basura en la playa.

Después de concebir esta idea, se acostaron a dormir sintiéndose un poco más tranquilas.

Al otro día, las niñas se levantaron casi al mediodía. Después del desayuno, lo primero que hicieron fue llamar a Sofía y pedirle que las llevara nuevamente a la playa. Mientras ella iba a buscarlas, hicieron los carteles e, inmediatamente después, empacaron los materiales que necesitarían para poder ponerlos.

Cuando llegó la vecina, caminaron unos minutos hasta llegar a la playa. En el trayecto, le contaron lo que habían vivido en la madrugada y lo preocupadas que estaban por los tinglares.

—Me parece muy bien que, desde chicas, desarrollen una conciencia ecológica —fue todo lo que Sofía dijo.

Una vez allí, se sentaron en la arena a ponerles los palos a sus carteles. Entonces, los ubicaron.

Los anuncios decían cosas como: "No a la contaminación", "No utilice el mar como basurero", "No arroje bolsas plásticas al océano", "No ponga en peligro a los animales marinos". Todos estaban firmados por el grupo Primas Unidas Para Salvar las Tortugas.

Después de apreciar su obra y la curiosidad con que los bañistas leían sus consejos, Glory, Noraida y Vanesa se sentaron en la orilla a observar el mar.

Noraida estaba tan entusiasmada que recordó sus versos favoritos y los adaptó para recitarlos frente a sus primas.

Mar hermoso,
gran océano azul,
eres muy bondadoso
me gustas mucho tú.

Queremos nadar, las primas,
en tus olas de espuma.
Gracias por la nueva amiga,
la linda señora tortuga.

Entonces, vieron que su amiga la tortuga se acercó a la orilla más de lo usual. Noraida le acarició el lomo, Glory le tocó las aletas suavemente, para sentir su textura, y Vanesa, descaradamente, le plantó un beso.

A las tres les pareció que la tortuga miró los letreros, sonrió y se fue mar adentro.

Si quieres aprender algo más, continúa leyendo...

La contaminación es la introducción de cualquier sustancia que pueda provocar desequilibrio en un medio y afectar a su población. Así pues, los gases que los vehículos emiten contaminan la atmósfera, los detergentes y los productos industriales contaminan los mares y los ríos a los que van a parar. La basura que arrojamos y no se procesa debidamente causa el mismo efecto.

tinglar

Una de las especies afectadas por la contaminación y que está en peligro de extinción es el tinglar. ¡Esta es la tortuga marina más grande que existe! Y nosotros tenemos la suerte de que viene a anidar a nuestras playas. Esto también implica que tenemos la responsabilidad de proteger las áreas donde ella desova. Esta es una misión urgente, ya que, desafortunadamente, este enorme reptil está en peligro de extinción.

Playa Flamingo
Culebra, Puerto Rico

Para proteger el entorno de esta especie y el de muchas otras, incluidos nosotros, los seres humanos, debemos evitar la contaminación de las playas y del Planeta, en general.

A continuación, algunos consejos...

- Bota la basura en los zafacones cuando vayas a la playa o a cualquier otro lugar; si no los hubiera, llévatela contigo.

- Evita usar más jabón del necesario cuando friegues.

- Utiliza productos de limpieza que no dañen el medioambiente.

- Procura no consumir alimentos cultivados con abonos químicos y pesticidas.

- Sugiéreles a tus papás que utilicen un solo carro. Usar los medios de transportación masiva también es una opción.

Todas estas acciones están a tu alcance. ¡Haz un esfuerzo por nuestro planeta y por ti mismo!